MICHAEL LANGER

Play Guitar

Erste Weihnacht

24 Weihnachtslieder

einstimmig (1. Lage)
mit einfacher Begleitstimme

Play Guitar „Erste Weihnacht“ soll das Spielen von Weihnachtsliedern auf der Gitarre von Anfang an ermöglichen.

Ausgangspunkt ist einstimmiges Spiel im Fünftonraum G-Dur in der I. Lage, vom g bis zum d', dem Ausgangspunkt vieler Gitarrenschulen im deutschsprachigen Raum. Dann wird der Tonraum Schritt für Schritt (siehe Inhaltsverzeichnis) behutsam weiterentwickelt.

Auch die Begleitstimme ist nach didaktischen Gesichtspunkten arrangiert: möglichst einfach und doch wohlklingend. Sie soll am Anfang als Lehrerstimme dienen, aber auch für einen Anfänger im Tirando-Spiel bald erlernbar sein. Akkordsymbole sind der Begleitung beigefügt.

Das Notenbild wechselt. Anfangs ist die Melodiestimme in einem einzeiligen Notensystem,v on der Begleitung getrennt, aufgeschrieben, um den Umstieg von der Anfängerliteratur zu vereinfachen. Ab Seite 12 wird die Begleitung in einem (verkleinert notierten) zweiten System wie eine Duostimme notiert.

Impressum

© 2019 by Edition DUX, Manching

D 886 / ISMN 979-0-50017-505-6 / ISBN 978-3-86849-332-0

Layout und Notensatz: Michael Langer
Umschlaggestaltung: Rauchbauer und Partner Werbeagentur GmbH, Gaimersheim
Bildmaterial Fotolia: Christine Wulf, Chica

Nachdruck verboten! Fotokopieren verboten!

www.dux-verlag.de

Inhaltsverzeichnis

A, a, a, der Winter, der ist da

Volksweise

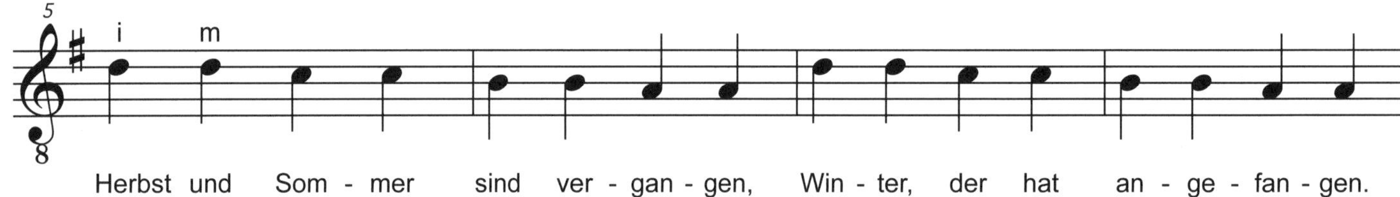

2. E, e, e, er bringt uns Eis und Schnee,
   malt uns gar zum Zeitvertreiben
   Blumen an die Fensterscheiben.
   E, e, e, er bringt uns Eis und Schnee.

3. I, i, i, vergiss die Armen nie!
   Wenn du liegst in warmen Kissen,
   denk an die, die frieren müssen.
   I, i, i, vergiss die Armen nie!

4. O, o, o, wie sind wir Kinder froh!
   Sehen jede Nacht im Traume
   uns schon unterm Weihnachtsbaume.
   O, o, o, wie sind wir Kinder froh!

5. U, u, u, jetzt weiß ich, was ich tu!
   Hol den Schlitten aus dem Keller,
   und dann fahr ich immer schneller.
   U, u, u, jetzt weiß ich, was ich tu!

Begleitstimme:

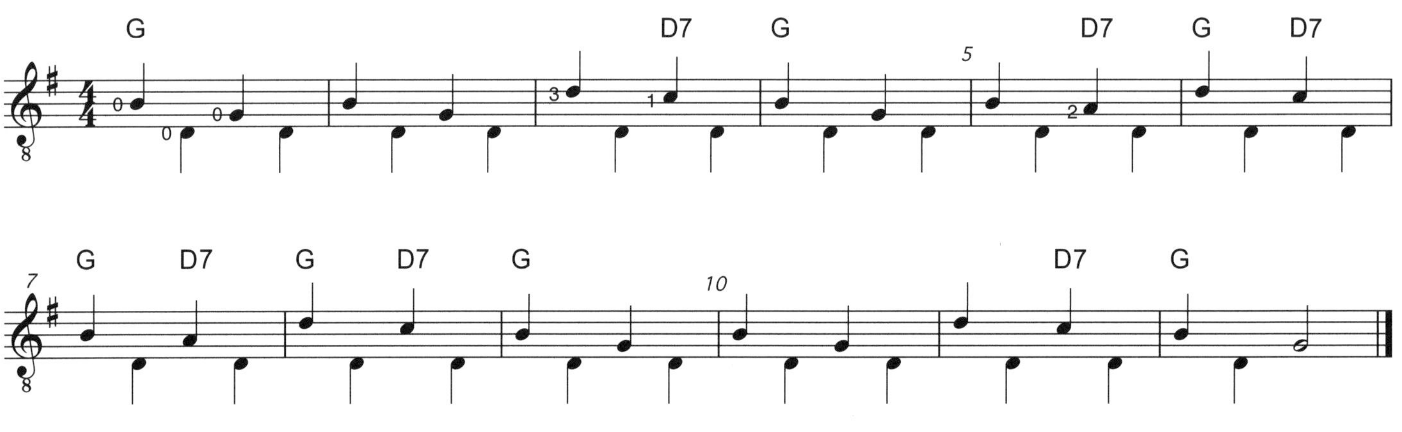

© 2019 by Edition DUX, Manching

Jingle Bells

James Pierpont

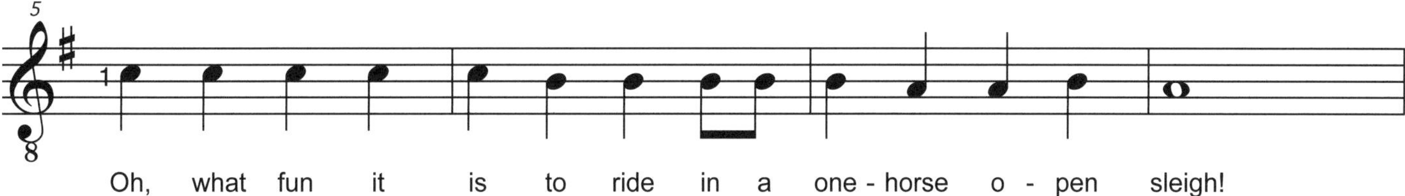

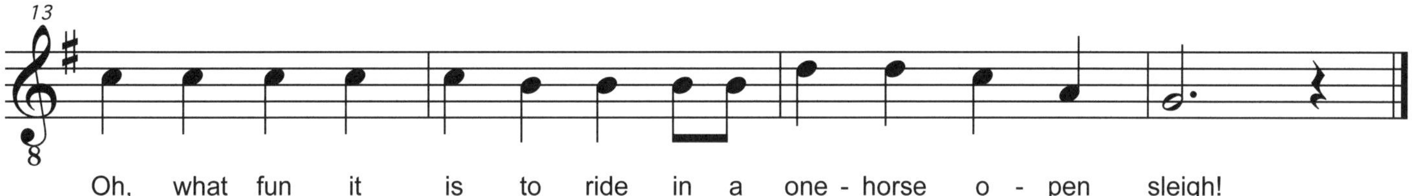

Begleitstimme:

© 2019 by Edition DUX, Manching

Was soll das bedeuten

Volksweise

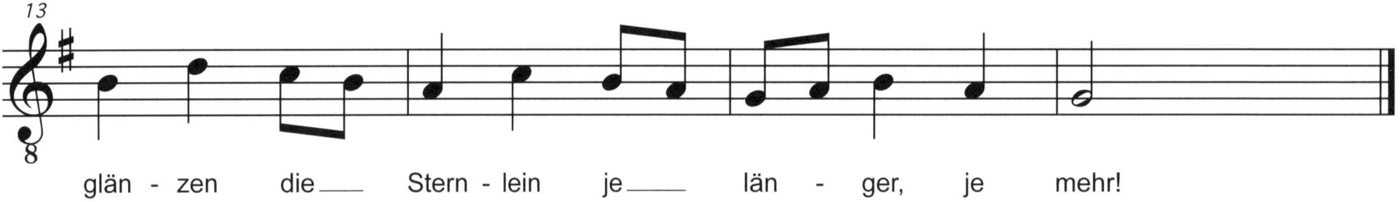

2. Treibt zusammen, treibt zusammen die Schäflein fürbass,
   treibt zusammen, treibt zusammen, dort zeig ich euch was:
   Dort in dem Stall, dort in dem Stall werdet Wunderding' sehen, treibt zusammen einmal!

Begleitstimme:

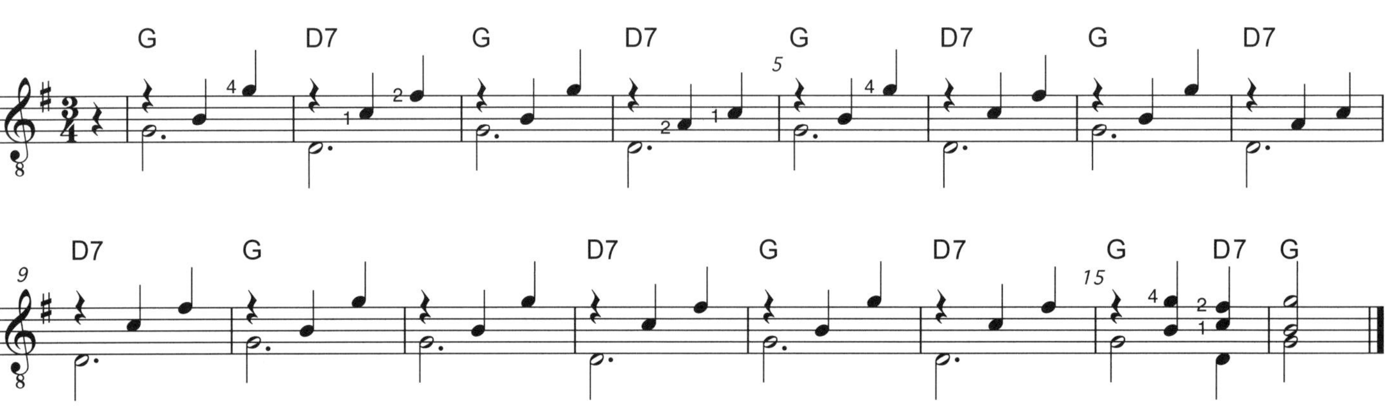

© 2019 by Edition DUX, Manching

Morgen kommt der Weihnachtsmann

Volksweise

2. Sicher kennt er unsern Wunsch, kennt ja unsre Herzen.
Kinder, Vater und Mama, auch sogar der Großpapa,
alle, alle sind sie da, zünden an die Kerzen.

Begleitstimme:

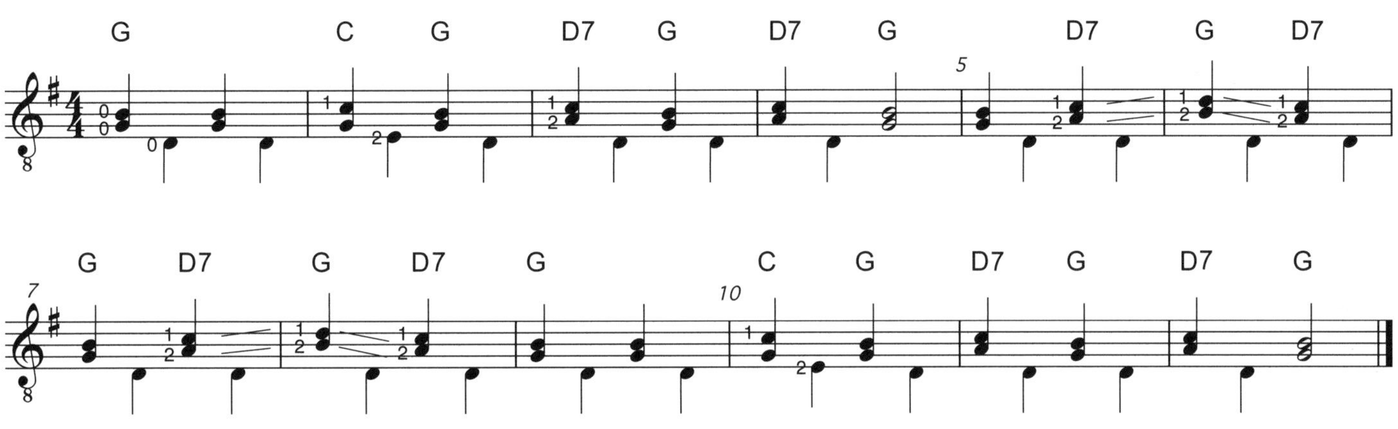

© 2019 by Edition DUX, Manching

Ich wollt, ich wär der Nikolaus

Text: Rolf Krenzer
Melodie: Siegfried Fietz

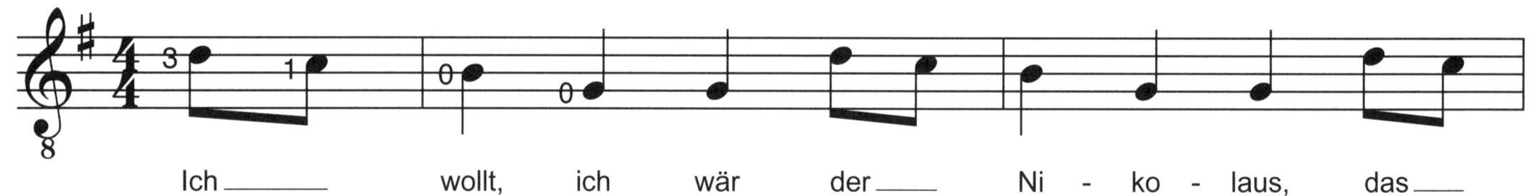

Ich wollt, ich wär der Ni - ko - laus, das

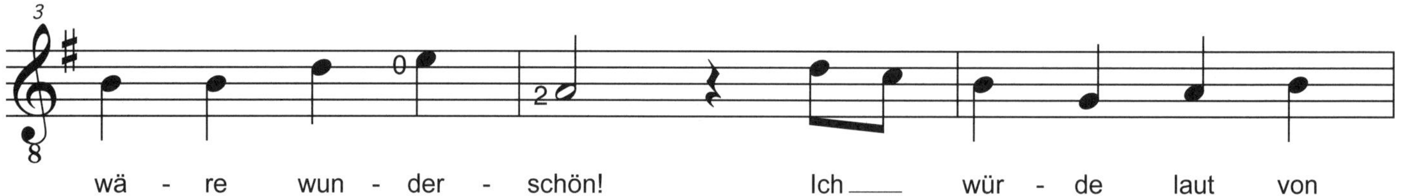

wä - re wun - der - schön! Ich wür - de laut von

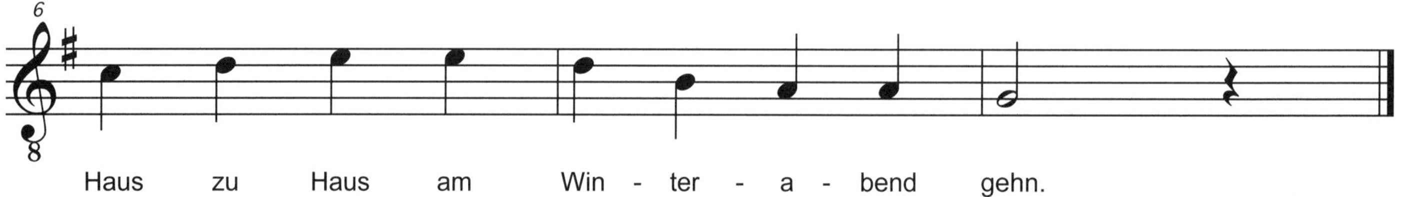

Haus zu Haus am Win - ter - a - bend gehn.

2. Doch hat da etwa Angst ein Kind vor mir, dem Nikolaus,
   zieh ich den Mantel aus geschwind und seh wie immer aus.

3. Ich möcht so gern von Haus zu Haus am Winterabend gehn.
   Ich wollt, ich wär der Nikolaus, das wäre wunderschön.

Begleitstimme:

© ABAKUS Musik Barbara Fietz, 35753 Greifenstein

Hört der Engel helle Lieder

Text: Otto Abel
Melodie: aus Frankreich

Begleitstimme:

© Verlag Merseburger, Kassel. www.merseburger.de

Kommet, ihr Hirten

Volksweise

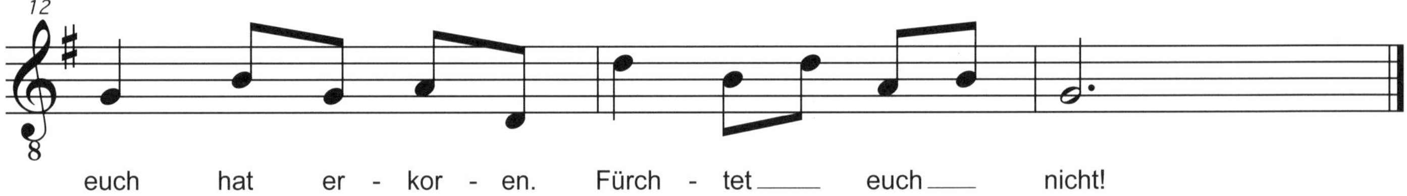

Begleitstimme:

© 2019 by Edition DUX, Manching

Ihr Kinderlein, kommet

Volksweise

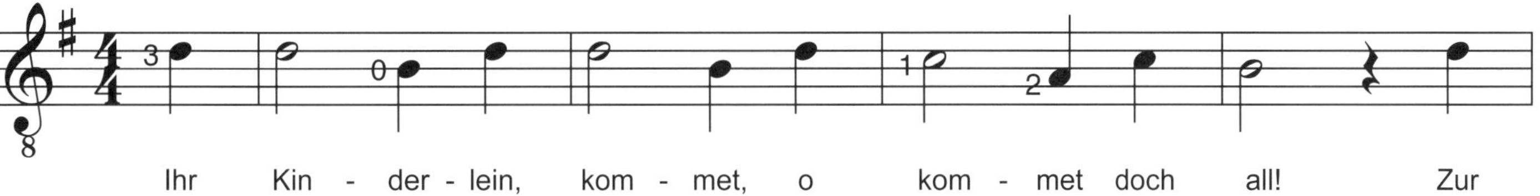

Ihr Kin - der - lein, kom - met, o kom - met doch all! Zur

Krip - pe her - kom - met in Beth - le - hems Stall. Und

seht, was in die - ser hoch - hei - li - gen Nacht der

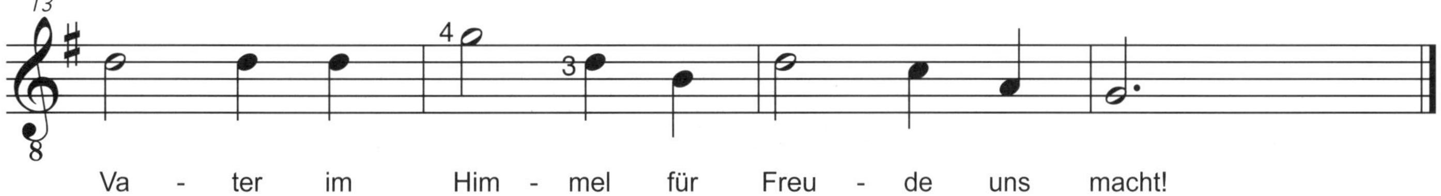

Va - ter im Him - mel für Freu - de uns macht!

2. O seht in der Krippe im nächtlichen Stall,
seht her bei des Lichtleins hellglänzendem Strahl
den lieblichen Knaben, das himmlische Kind,
viel schöner und holder als Engelein sind!

3. Da liegt es, das Kindlein, auf Heu und auf Stroh.
Maria und Josef betrachten es froh.
Die redlichen Hirten knien betend davor,
hoch oben schwebt jubelnd der Engelein Chor.

Begleitstimme:

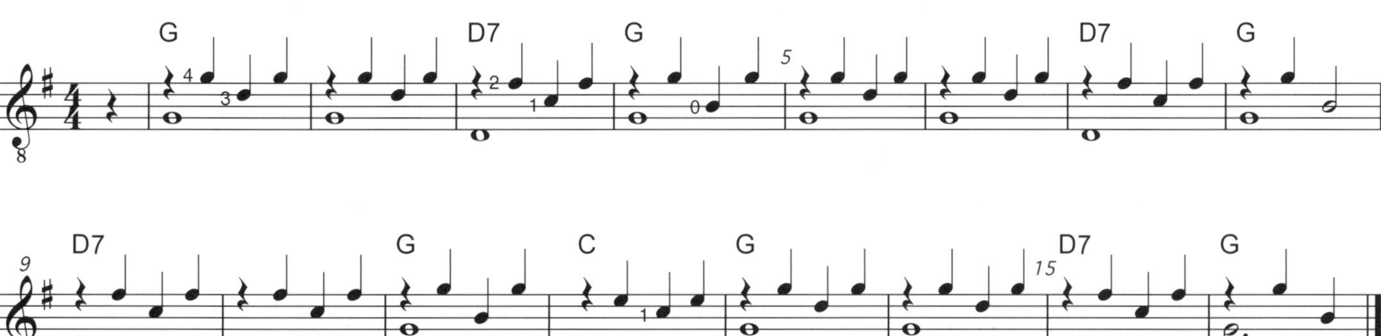

© 2019 by Edition DUX, Manching

Lasst uns froh und munter sein

Volksweise

2. Bald ist unsre Schule aus, dann ziehn wir vergnügt nach Haus.
3. Dann stell ich den Teller auf, Nik'laus legt gewiss was drauf.

© 2019 by Edition DUX, Manching

We Wish You A Merry Christmas

aus England

2. Now bring us some figgy pudding, now bring us some figgy pudding,
now bring us some figgy pudding and bring some out here!

© 2019 by Edition DUX, Manching

Wir sagen euch an den lieben Advent

Text: Maria Ferschl
Melodie: Richard Rudolf Klein

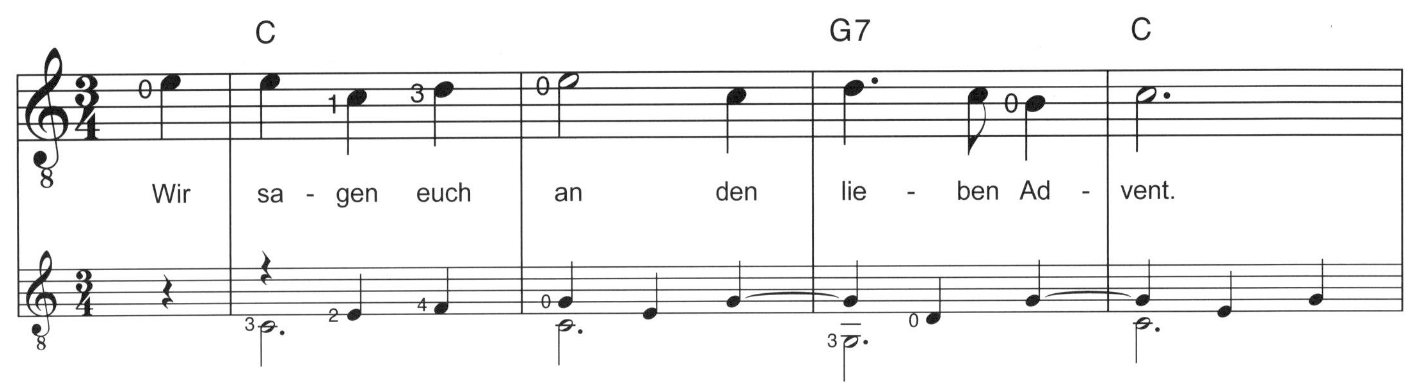

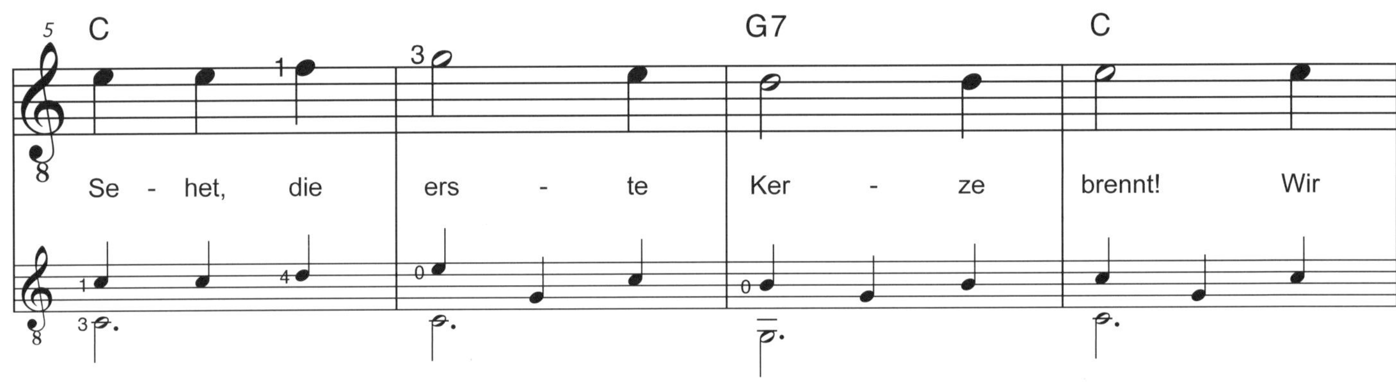

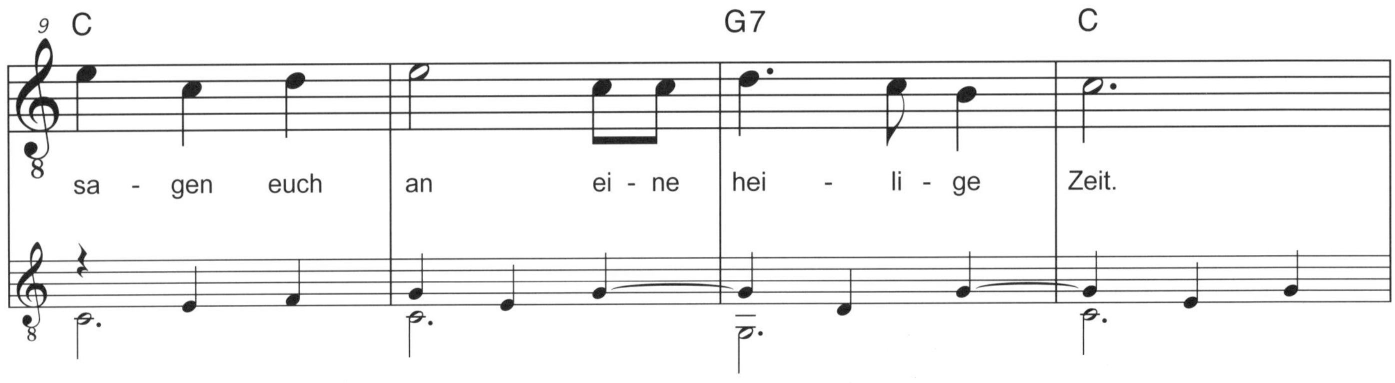

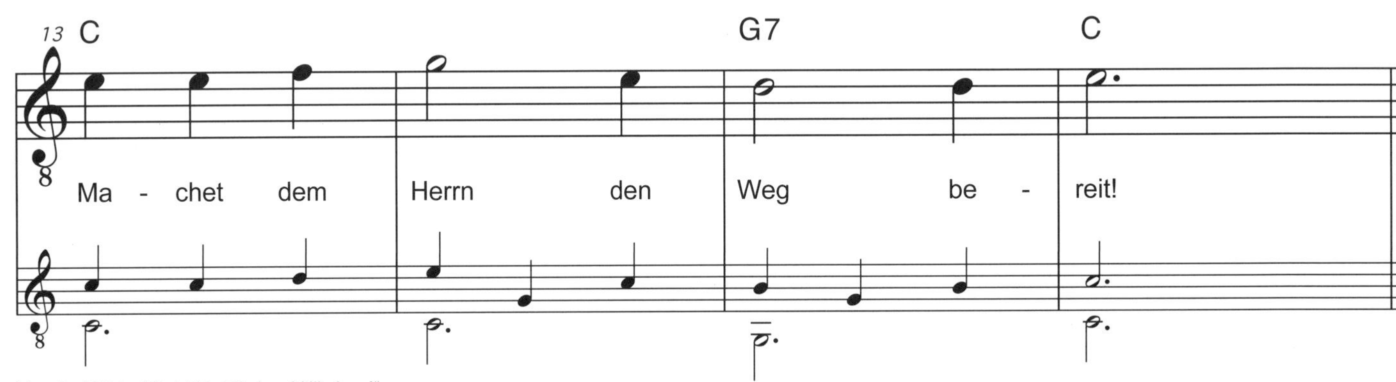

Von der Fidula-CD 4428 „Nikolaus! Nikolaus!“

© Fidula-Verlag Holzmeister GmbH, Koblenz. www.fidula.de

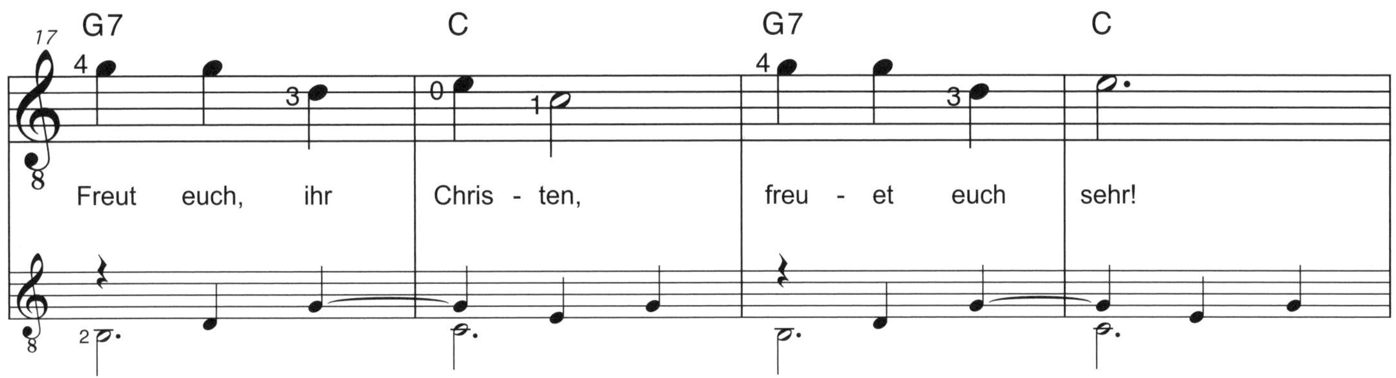

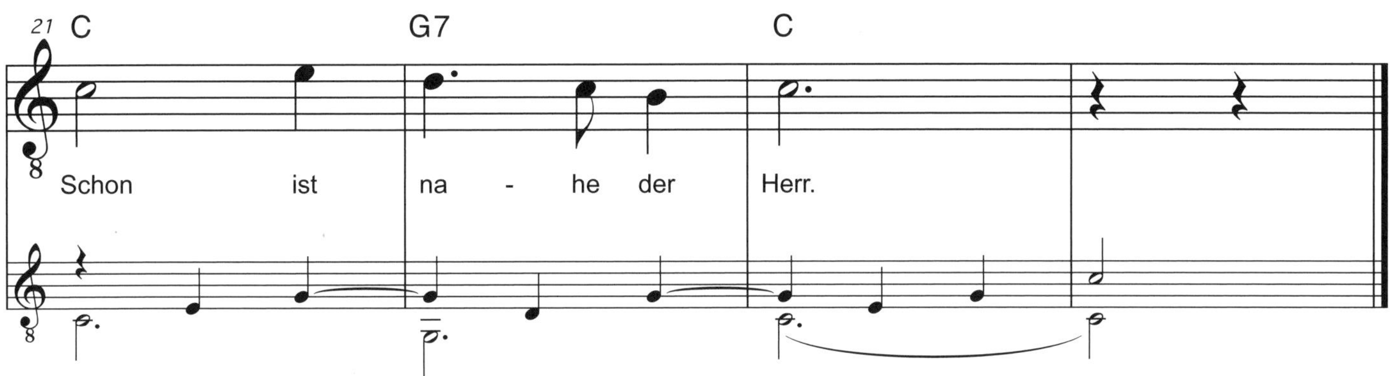

2. Wir sagen euch an den lieben Advent.
   Sehet die zweite Kerze brennt!
   So nehmet euch eins um das andere an,
   wie auch der Herr an uns getan!

3. Wir sagen euch an den lieben Advent.
   Sehet, die dritte Kerze brennt!
   Nun tragt eurer Güte hellen Schein
   weit in die dunkle Welt hinein!

4. Wir sagen euch an den lieben Advent.
   Sehet, die vierte Kerze brennt!
   Gott selber wird kommen, er zögert nicht.
   Auf, auf, ihr Herzen, und werdet Licht.

Es wird scho glei dumpa

aus Tirol

© 2019 by Edition DUX, Manching

2. Vergiss jetzt, o Kinderl, dein' Kummer, dei' Load,
dass du då muasst leidn im Stall auf da Hoad.
Es ziern ja die Engerl dei Liagerstatt aus,
möcht schöner nit sein drin an König sei Haus.
Hei, hei, hei, hei, schlåf siaß, herzliabs Kind.

3. Schließ zua deine Äugerl in Ruh und in Fried'
und gib ma zum Abschied dein Segn no grad mit!
Dann wird a mein Schlaferl so sorgenlos sein,
dann kann i mi ruhig aufs Niedalegn freun.
Hei, hei, hei, hei, schlåf siaß, herzliabs Kind.

O Tannenbaum

Volksweise

2. O Tannenbaum, o Tannenbaum, du kannst mir sehr gefallen!
Wie oft hat doch zur Weihnachtszeit ein Baum von dir mich hocherfreut.
O Tannenbaum, o Tannenbaum, du kannst mir sehr gefallen!

© 2019 by Edition DUX, Manching

Stern über Bethlehem

Text und Melodie: Alfred Hans Zoller

2. Stern über Bethlehem, nun bleibst du stehn und lässt uns alle das Wunder hier sehn, das da geschehen, was niemand gedacht, Stern über Bethlehem, in dieser Nacht.

3. Stern über Bethlehem, wir sind am Ziel, denn dieser arme Stall birgt doch so viel. Du hast uns hergeführt, wir danken dir, Stern über Bethlehem, wir bleiben hier!

© by Gustav Bosse Verlag, Kassel

Stille Nacht

Text: Joseph Mohr
Melodie: Franz Gruber

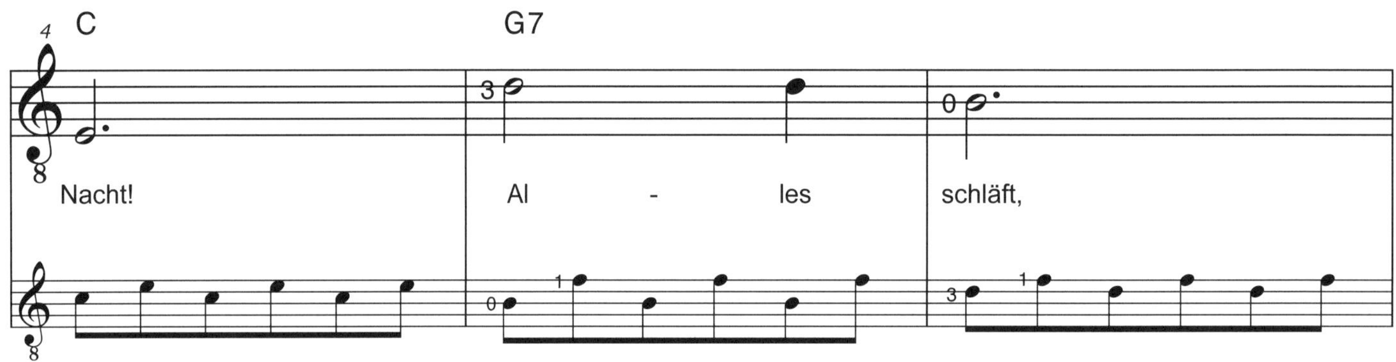

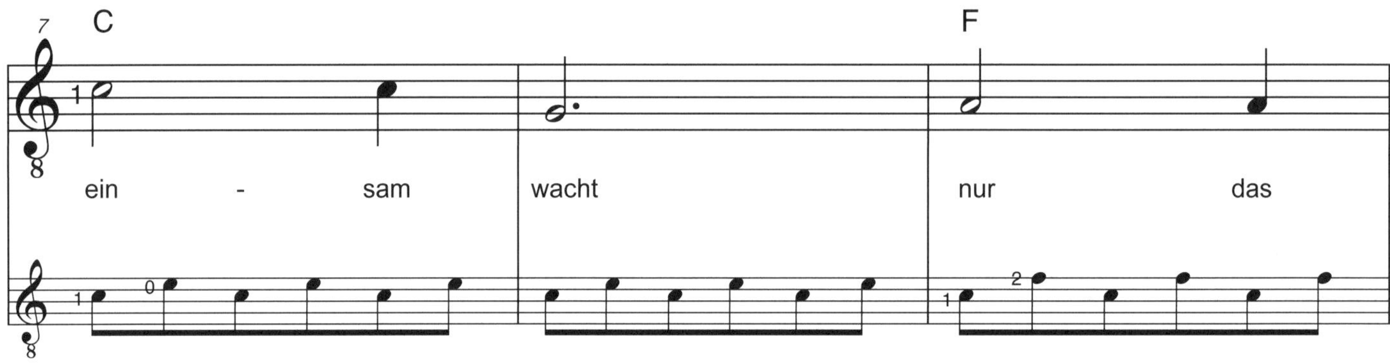

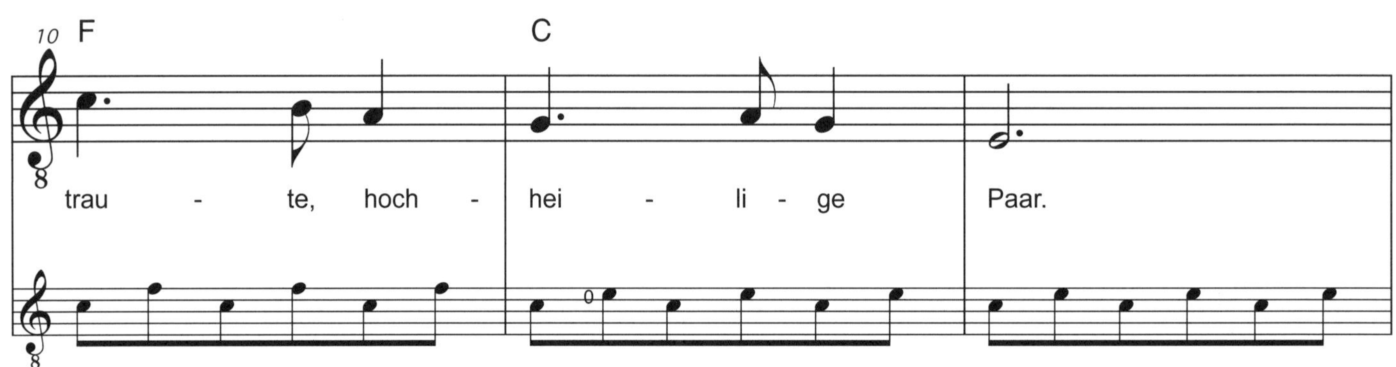

© 2019 by Edition DUX, Manching

2. Stille Nacht, heilige Nacht! Gottes Sohn, o wie lacht Lieb aus deinem göttlichen Mund, da uns schlägt die rettende Stund, Christ, in deiner Geburt, Christ, in deiner Geburt.

3. Stille Nacht, heilige Nacht! Hirten erst kundgemacht. Durch der Engel Hallelujah tönt es laut von fern und nah: Christ der Retter ist da, Christ der Retter ist da!

Leise rieselt der Schnee

Text und Melodie: Eduard Ebel

2. In den Herzen ist's warm, still schweigt Kummer und Harm,
   Sorge des Lebens verhallt: Freue dich, Christkind kommt bald!

3. Bald ist heilige Nacht, Chor der Engel erwacht,
   hört nur, wie lieblich es schallt: Freue dich, Christkind kommt bald!

© 2019 by Edition DUX, Manching

Dicke rote Kerzen

Text: Rolf Krenzer
Melodie: Detlev Jöcker

2. Schneidern, hämmern, basteln, überall im Haus, man begegnet hin und wieder schon dem Nikolaus.
   Ja, ihr wisst Bescheid, macht euch jetzt bereit. Bis Weihnachten, bis Weihnachten ist nicht mehr weit.

3. Lieb verpackte Päckchen überall versteckt und die frisch gebacknen Plätzchen wurden schon entdeckt.
   Heute hat's geschneit, macht euch jetzt bereit. Bis Weihnachten, bis Weihnachten ist nicht mehr weit.

aus „Detlev Jöckers 40 schönste Advents- und Weihnachtslieder“
© Menschenkinder Verlag und Vertrieb GmbH, Münster, c/o Melodie der Welt GmbH & Co. KG, Frankfurt am Main.
Abdruck erfolgt mit freundlicher Genehmigung.

In der Weihnachtsbäckerei

Text und Melodie: Rolf Zuckowski

2. Brauchen wir nicht Schokolade, Honig, Nüsse und Sukkade und ein bisschen Zimt? Das stimmt!
Butter, Mehl und Milch verrühren, zwischendurch einmal probieren und dann kommt das Ei. Vorbei!

© Mit freundlicher Genehmigung MUSIK FÜR DICH Rolf Zuckowski OHG, Hamburg

3. Bitte mal zur Seite treten, denn wir brauchen Platz zum Kneten. Sind die Finger rein? Du Schwein!
Sind die Plätzchen, die wir stechen, erst mal auf den Ofenblechen, warten wir gespannt: Verbrannt!

Gatatumba

Text und Melodie: Klaus W. Hoffmann

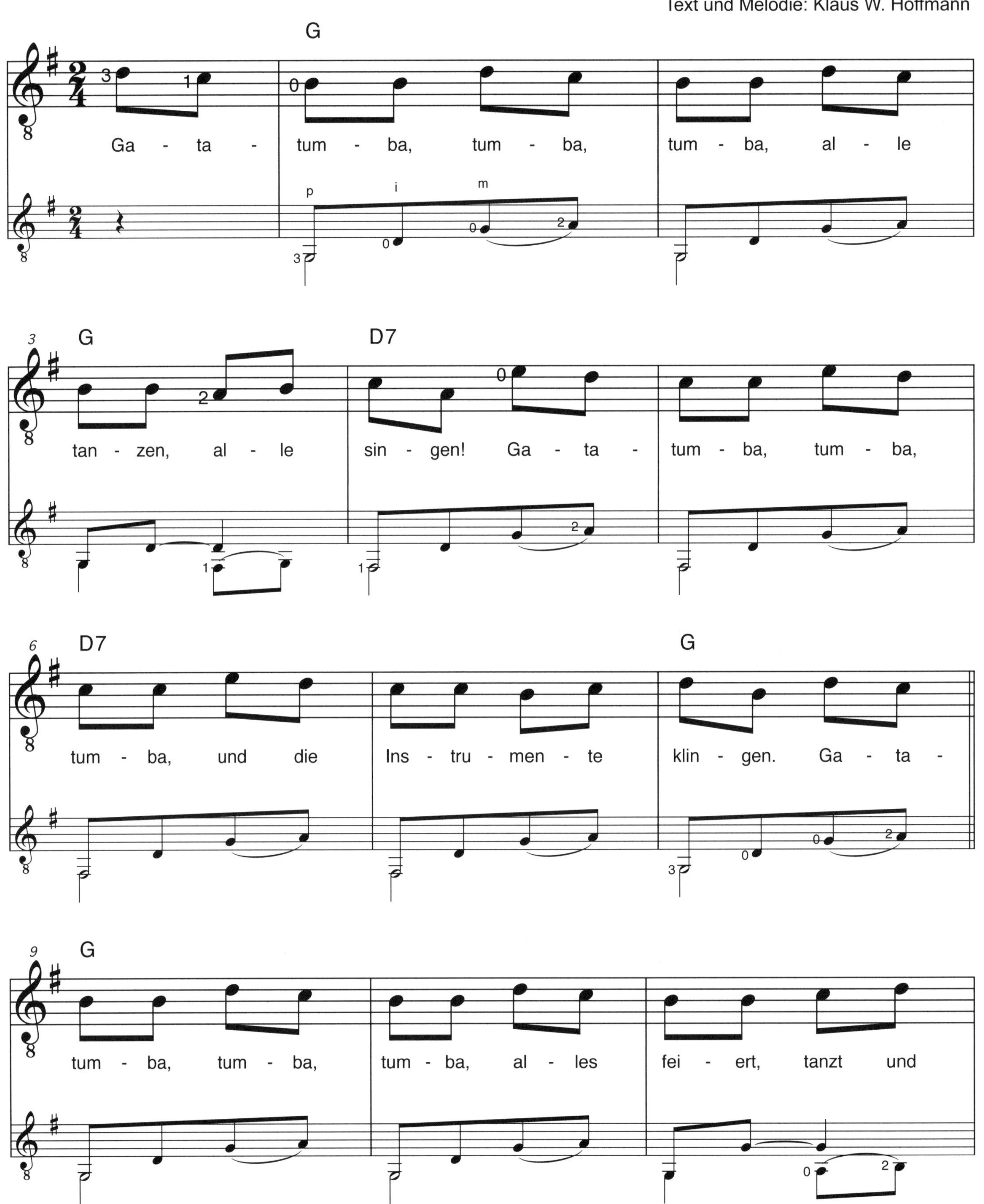

© Aktive Musik Verlagsgesellschaft mbH (www.aktive-musik.de)

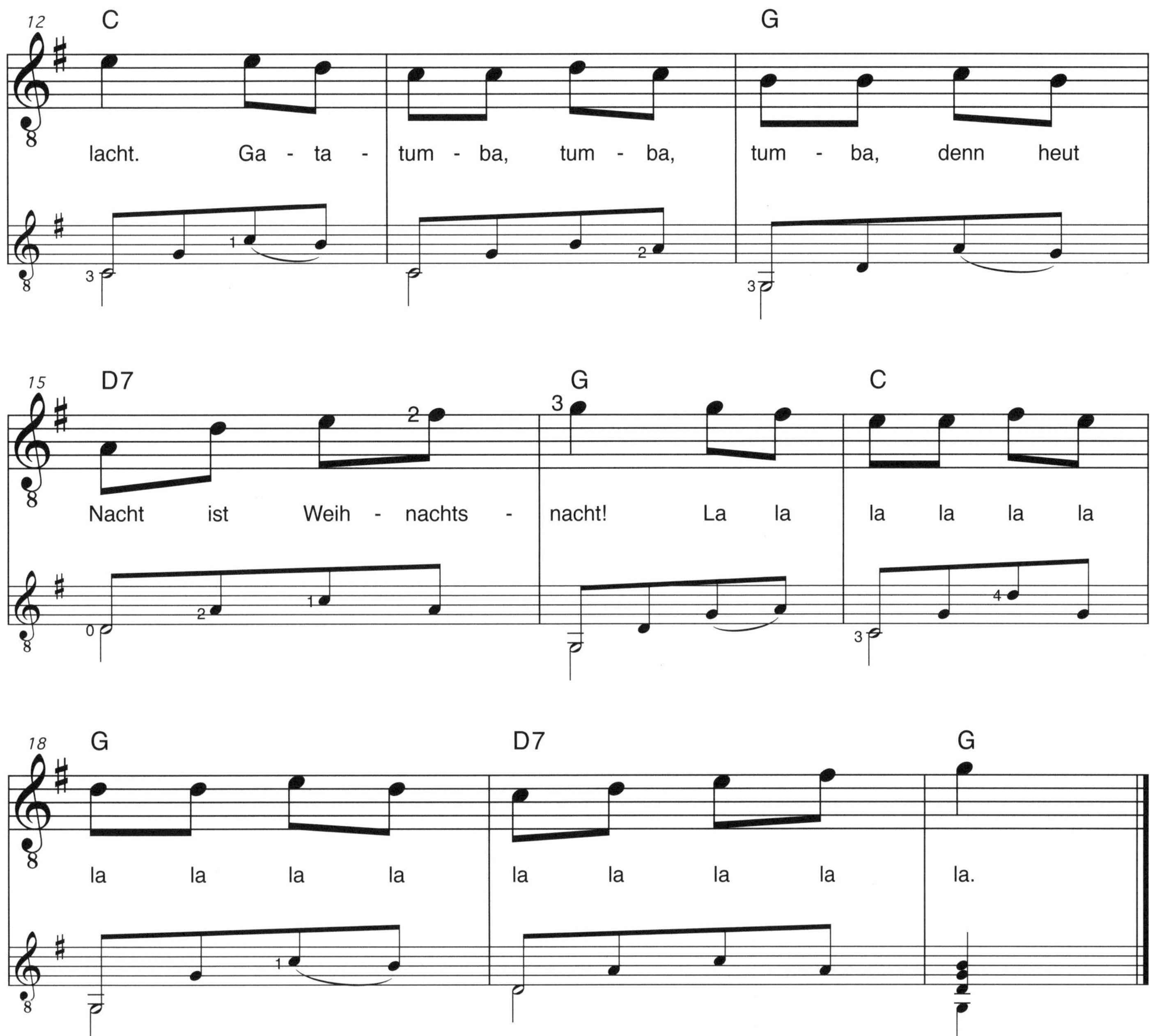

2. Gatatumba, tumba, tumba,
   spielt Gitarren, spielt die Flöte!
   Gatatumba, tumba, tumba,
   spielt die Trommeln und Trompeten!

3. Gatatumba, tumba, tumba,
   spielt die Pauken und die Geigen!
   Gatatumba, tumba, tumba,
   unsre Freude wolln wir zeigen.

Alle Jahre wieder

Volksweise

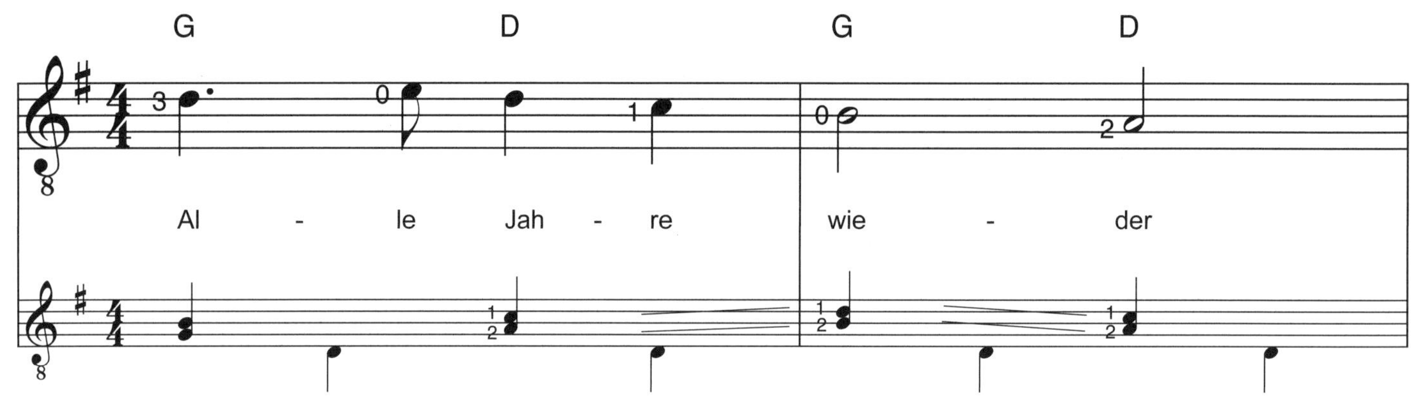

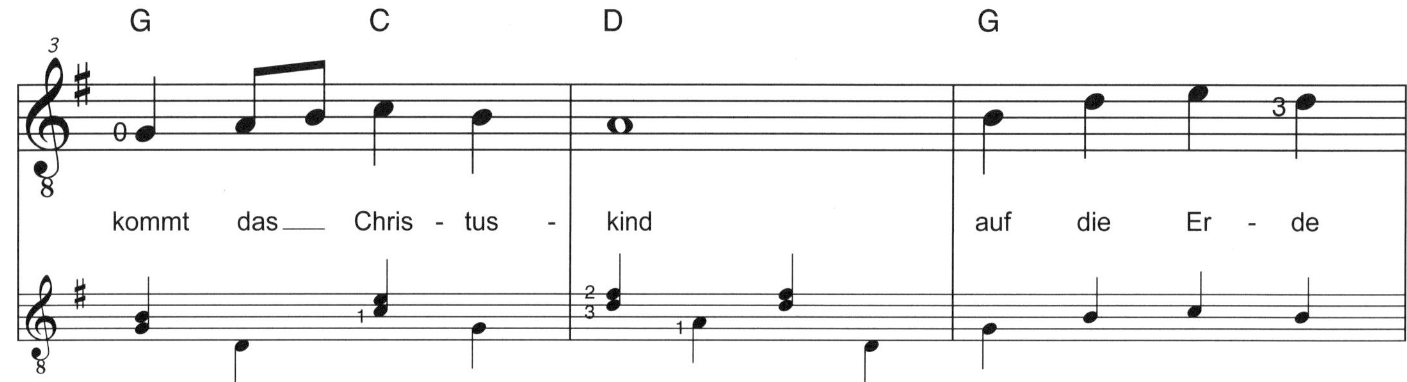

2. Kehrt mit seinem Segen ein in jedes Haus,
 geht auf allen Wegen mit uns ein und aus.

3. Geht auch mir zur Seite still und unerkannt,
 dass es treu mich leite an der lieben Hand.

© 2019 by Edition DUX, Manching

O du fröhliche

aus Sizilien

2. Christ ist erschienen, uns zu versühnen:
3. Himmlische Heere jauchzen dir Ehre:

© 2019 by Edition DUX, Manching

Schneeflöckchen, Weißröckchen

Volksweise

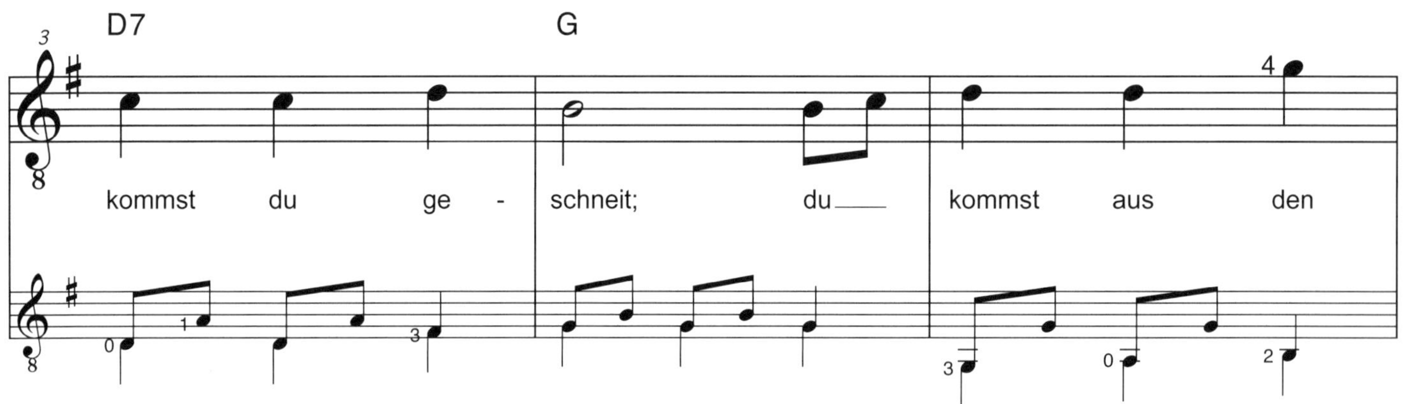

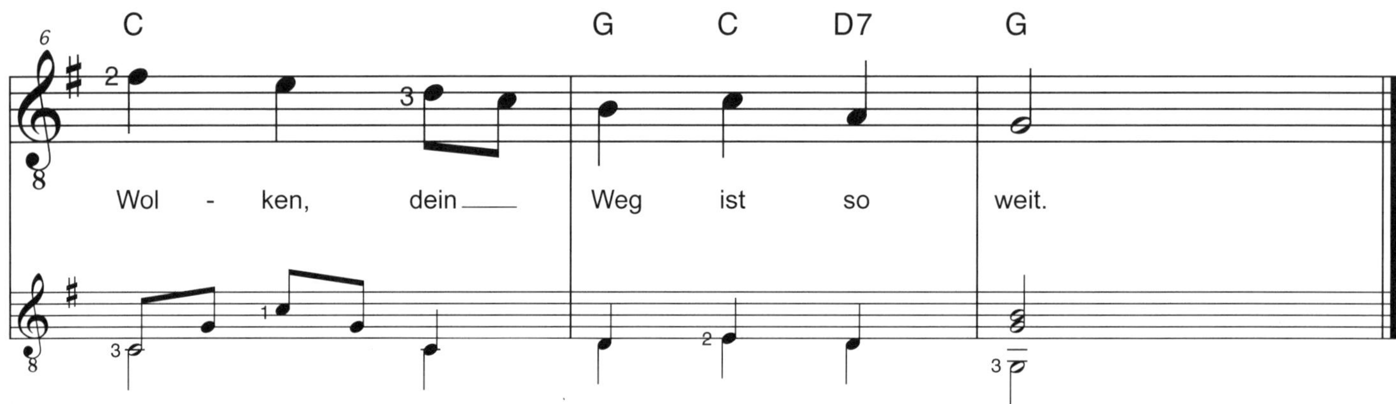

2. Komm, setz dich ans Fenster, du lieblicher Stern;
   malst Blumen und Blätter, wir haben dich gern.

3. Schneeflöckchen, du deckst uns die Blümelein zu;
   dann schlafen sie sicher in himmlischer Ruh.

© 2019 by Edition DUX, Manching

Das Licht einer Kerze

Text: Rolf Krenzer
Melodie: Peter Janssens

2. Wir zünden zwei Kerzen jetzt am Adventskranz an. Und die beiden Kerzen sagen's allen dann:
Lasst uns alle hoffen hier und überall, hoffen voll Vertrauen auf das Kind im Stall.

aus: Ich schenk dir einen Sonnenstrahl, 1985
© Alle Rechte im Peter Janssens Musik Verlag, Telgte-Westfalen

Winter Wonderland

Text: Dick Smith
Musik: Felix Bernard

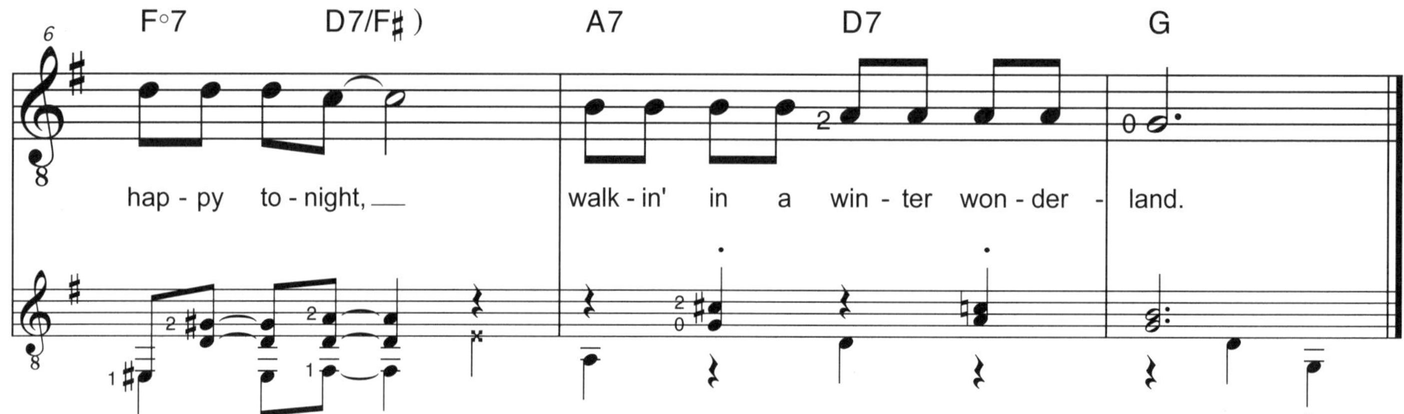

2. Gone away is the bluebird, here to stay is a new bird,
he sings a love song as we go along,
walkin' in a winter wonderland.

3. Later on we'll conspire, as we dream by the fire,
to face unafraid the plans that we made,
walkin' in a winter wonderland.

© 2019 by Edition DUX, Manching